¡ALERTA!

UN MONSTRUO EN LA FAMILIA

Ilustración de portada: Axel Rangel
Ilustraciones de interiores: Axel Rangel

© 2020, José Ignacio Valenzuela

Derechos reservados

© 2020, Editorial Planeta Mexicana, S.A. de C.V.
Bajo el sello editorial PLANETA JUNIOR M.R.
Avenida Presidente Masarik núm. 111, Piso 2
Colonia Polanco V Sección
Delegación Miguel Hidalgo
C.P. 11560, Ciudad de México
www.planetadelibros.com.mx

Primera edición impresa en México: febrero de 2020
ISBN: 978-607-07-6484-4

¡ALERTA!
Un Monstruo
EN LA FAMILIA

José Ignacio Valenzuela

Planeta Junior

CAPÍTULO 1

Tengo tres problemas graves. ¡Tres! Y no, no son solamente graves. ¡Son gravísimos y no sé cómo solucionarlos!

El primero es que mi papá se tragó, sin decirle nada a nadie, todo el bote de helado de chocolate. Eso le pasa cuando se pone nervioso por algún asunto de trabajo. Entonces le da por comer y comer, y se levanta durante la madrugada a abrir el refrigerador para devorarse todo lo que haya dentro. Y de seguro eso fue lo que sucedió anoche. Sin saberlo, mi papá me metió en el peor de los líos.

El segundo problema es que perdí mis anteojos y sin ellos no puedo ver bien. Todo lo que tengo enfrente se me pone un poco borroso: me tropiezo con los muebles, me caigo al bajar las escaleras y, por supuesto, soy incapaz de leer correctamente. ¡Y en estos momentos de mi vida eso es algo de vida o muerte!

El tercero es que por error transformé a Mauricio, mi hermano mayor, en un monstruo terrible y peligroso, cuando lo único que deseaba era que obedeciera mis órdenes y me dejara en paz. ¡Pero yo no sabía que se había acabado el helado de chocolate, ni que mis anteojos se iban a romper, ni que a mi hermano le iba a crecer una cabeza de hombre lobo, ni que sus brazos se iban a transformar en dos largos tentáculos llenos de ventosas, ni que dos alas de dragón le iban a aparecer en mitad de la espalda...!

Y por si fuera poco, todavía estoy tratando de descubrir si mi vecino, el señor Antón Otín, es otro de mis problemas. A veces pienso que sí. A veces pienso que no. El punto es que tiene la piel demasiado blanca para ser normal. Su cara, sus manos y su cuello son tan pálidos que parecen hechos de un papel tan transparente que pareciera estar siempre a punto de romperse. Y como sólo lo veo aparecer al otro lado de su ventana por las noches, cuando ya ha salido la luna en el cielo, hay días en los que creo que el señor Otín es un vampiro y que en cualquier momento se va a aparecer en mi casa para enterrarle los colmillos a toda mi familia.

Como ven, tengo tres problemas graves y una duda que no me deja vivir tranquilo. ¡No sé qué hacer! Y aunque a mis once años ya he resuelto varias dificultades, nunca se me habían presentado tantas ni tan graves.

Mi vida es un caos. Y si me tienen un poco de paciencia, quisiera explicarles cómo llegué hasta este punto.

Pero ¿están seguros de que quieren saberlo...?

CAPÍTULO 2

Todo empezó cuando mi papá exclamó una tarde después de volver de su trabajo:

—¡Ahora voy a ser mi propio jefe!

Mi mamá de inmediato se puso nerviosa y lo persiguió por toda la casa preguntando mil cosas, sin detenerse ni un sólo instante para tomar aire:

—¿Renunciaste? ¿Tu jefe renunció? ¿Te obligaron a renunciar? ¿Cómo vas a ser tu jefe si tú nunca antes has sido jefe de nada? ¿De quién vas a ser jefe? ¿Qué va a pasar con el jefe que tienes ahora?

—¡Déjenme explicarles! —pidió mi padre cuando por fin consiguió interrumpir a mi mamá.

Nos contó que después de muchos años, su jefe en la fábrica de caramelos había llegado por fin a esa edad en donde los adultos pueden decidir por primera vez si dejan de trabajar o no, y él había elegido quedarse en su casa para no tener que seguir levantándose temprano todas las mañanas. Entonces, como ya no iba a ser más el jefe, necesitaban encontrar a otro, rápido... y eligieron a mi papá para que lo reemplazara.

—¡Pero ésa es la mejor noticia que podías haberme dado! —festejó mi mamá mientras aplaudía y abrazaba a mi papá.

A Mauricio y a mí, la verdad, no nos importó mucho aquella noticia, porque nadie se encargó realmente de explicarnos en qué iban a cambiar nuestras vidas a partir de ese momento. Aun así yo supe que la mía iba a cambiar cuando mi padre le prometió a mi mamá:

—El próximo sábado vamos a ir a celebrar a un restaurante muy elegante y caro. Mauricio ya tiene edad para quedarse cuidando a Max por varias horas.

Ah, por si acaso, Max soy yo. Me llamo Maximiliano, pero todos me dicen Max.

Mauricio se quejó de que él tenía planes para ese sábado, que él no era la niñera de nadie y que no podían arruinarle su fin de semana obligándolo a cuidar a un niño insoportable y molestoso como yo. Pero eso no es verdad, porque yo nunca he sido insoportable ni molestoso. Las veces anteriores que he quedado a cargo de mi hermano mayor, siempre me he ido a mi recámara a leer tranquilo para no incomodarlo en nada. Pero es él quien me persigue para darme órdenes: "¡Max, prepárame un sándwich de queso!", "¡Max, ordéname el cuarto!", "¡Max, saca tú a pasear a *Azúcar* y llévala a dar cinco vueltas a la manzana!", "¡Max, hazme la tarea de matemáticas, que yo no entiendo nada!", "¡Max, vete a comprarme una barra de chocolate, que ya se me acabó!".

A ver, les explico varias cosas: *Azúcar* es nuestra perrita chihuahua y tiene apenas dos años. El problema es que ella nació con mucha energía, más de la que necesita, y siempre está saltando y corriendo adentro de la casa. Y como se mueve tanto, a veces rompe los adornos porque no se da cuenta de la velocidad que alcanza. Entonces una de las tareas de Mauricio es sacarla a pasear varias veces al día para que así se canse y ya no le queden ganas de alborotar. Pero a mi hermano no le gusta cumplir con su deber y siempre hace todo lo posible para obligarme a mí a que lo haga.

Y lo otro: a pesar de que soy cinco años menor que Mauricio, soy mucho más inteligente que él. Por eso yo sí entiendo todas sus tareas, incluso las de matemáticas. A él sólo le sale bien chatear durante horas con sus amigos, pasarse la semana entera sin ducharse ni peinarse y comer chocolate a todas horas del día.

Supe de inmediato que apenas nuestros padres salieran a cenar el sábado, Mauricio iba a comenzar a atormentarme con sus exigencias de hermano mayor. Pero esta vez sería distinto: no iba a permitir que eso sucediera.

¡Tenía un plan infalible para evitarlo!

CAPÍTULO 3

Cuando llegó el fin de semana y mis padres ya estaban listos para irse a su cita de celebración, nos juntaron a Mauricio y a mí en la sala para darnos las últimas instrucciones.

—Necesito que seas muy responsable, Mau —dijo papá muy serio—. Quedas a cargo de tu hermano menor y ése es un gran compromiso. ¿Lo entiendes?

—Claro que sí —dijo Mauricio fingiendo una expresión de hijo perfecto—. Soy el mejor hermano mayor del mundo. ¿No es cierto, Max?

Y me miró con unos ojos tan serios y amenazantes que no tuve más remedio que asentir con la cabeza. Porque estaba seguro de que si decía que no y lo delataba frente a mis papás, iba a atormentarme sin descanso todo el tiempo que estuviéramos solos en casa.

—Sí, el mejor hermano del mundo —repetí para que todos se creyeran mi mentira.

—¡Ay, qué alegría! —nos felicitó mamá yendo hacia la salida—. Mau, en cuanto Max se duerma, quiero que te metas a bañar y te laves el pelo. ¡Ya te hace falta un buen regaderazo!

—Sí, mamá, lo que tú digas —contestó Mauricio con la voz más falsa que consiguió.

—Así me gusta, que me hagas caso cuando te doy una orden —asintió ella—. Bueno, nos vemos más tarde. Cierren la puerta y cómanse toda la cena que les dejé en el microondas.

—Y si se portan bien, la próxima semana los llevo a conocer la fábrica de caramelos —agregó papá con cara de jefe orgulloso—. Acaban de inaugurar una enorme manguera por la que sale chocolate como

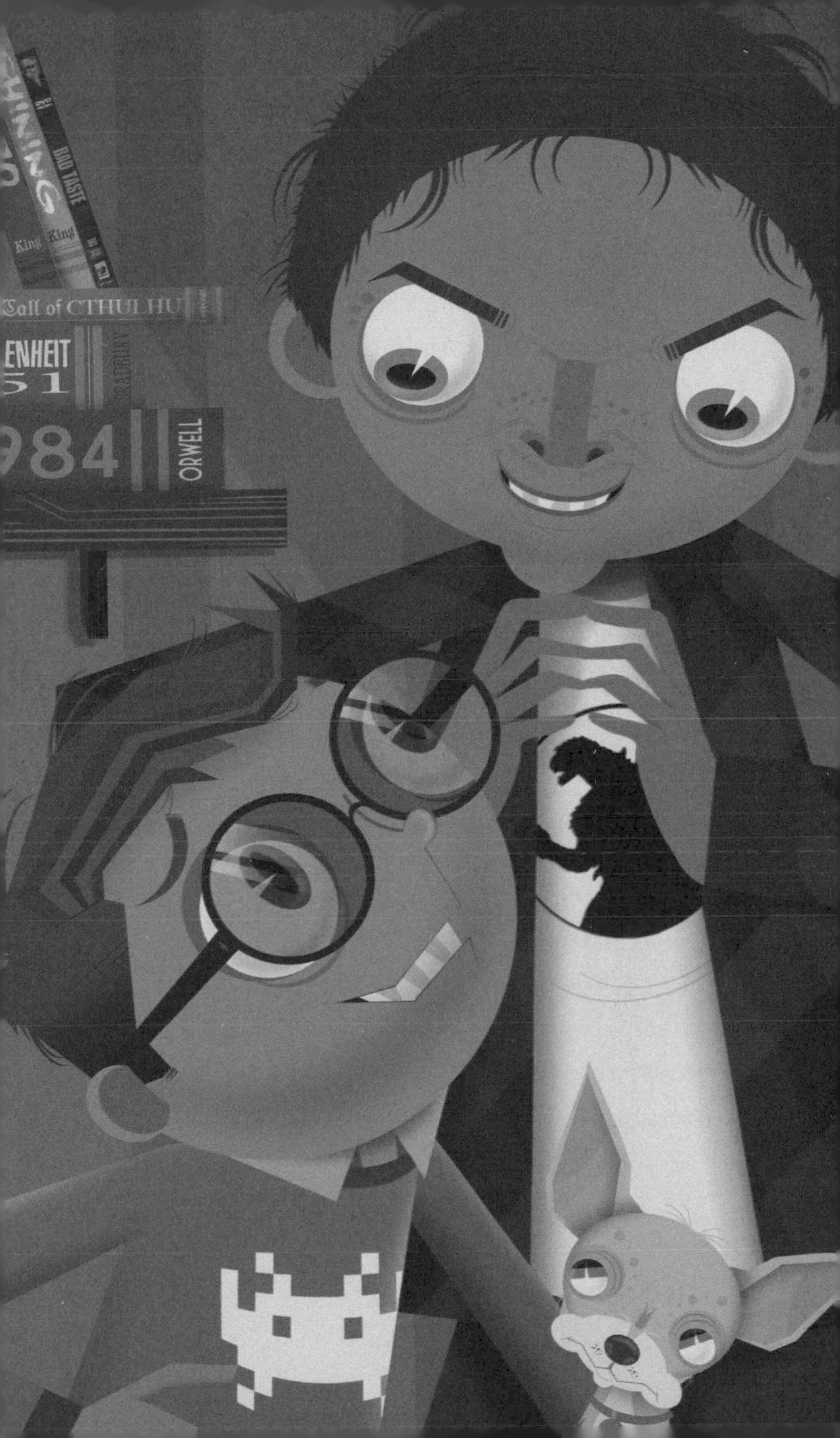
BAD TASTE
King
King
Call of CTHULHU
ORWELL

si fuera una ducha.

—¡Ahí sí me quiero bañar! —gritó mi hermano con verdadero entusiasmo.

Cuando escuchamos el ruido del motor del coche alejarse por la calle, Mauricio se frotó las manos y me miró con cara de villano de película de terror.

—A ver, por dónde empiezo contigo —susurró—. No sé si pedirte que me prepares un sándwich de cinco pisos o que ordenes mi clóset y separes mi ropa por colores, tallas y estaciones del año.

—¡Te tengo una sorpresa! —lo interrumpí nervioso—. Quédate aquí, que ya regreso.

Mauricio me miró con desconcierto, pero de inmediato sonrió lleno de agrado.

¡Mi hermano había picado el anzuelo!

—Veremos con qué me sorprendes —dijo recostándose en el sofá y poniendo sus zapatos sucios sobre los cojines que tanto cuidaba mamá—. Pero si no me gusta... te las vas a ver conmigo, enano.

—Claro que te va a gustar... ¡No me tardo nada! —exclamé y salí corriendo hacia la cocina.

Mi idea era hacerle una deliciosa malteada de helado de chocolate con crema chantillí y luego salpicarla con chispas azucaradas de todos los colores, y adornarla con un par de galletas de vainilla y una cereza. ¡Ésa era la malteada favorita de mi hermano! Yo sabía que eso iba a mantenerlo ocupado, relamiéndose de placer y pasándole la lengua al largo vaso donde pensaba servírsela, y que así iba a dejarme en paz todo el tiempo que se tardara en terminársela.

Entré a la cocina al mismo tiempo que un lejano trueno se escuchó en el cielo. Al parecer, una tormenta se acercaba...

Cuando abrí la puerta del refrigerador, descubrí con horror que ya no quedaba helado de chocolate. ¡Mi papá se había comido todo el bote en uno de sus ataques de ansiedad! Bueno, eso ya se lo conté.

El punto es otro: ¿qué iba a hacer ahora para conseguir helado de chocolate?

—¡Estoy esperando! —gritó impaciente Mauricio desde la sala.

Sentí que el corazón se me salía del pecho. ¿Cómo iba a resolver ese nuevo e inesperado problema? Le había prometido una sorpresa a mi hermano y ahora tenía que cumplir. Entonces pensé que alguno de nuestros vecinos debía tener, sin duda alguna, helado de chocolate en un rincón de su refrigerador.

Es el helado más común de todos, ¿no?

Si la solución era ir casa por casa preguntando si podían convidarme un poco, lo iba a hacer. Para eso están los vecinos, para ayudarse los unos a los otros. Al menos eso era lo que siempre decía mi mamá. ¿Y quién iba a poder negarse frente a un niño con cara de bueno pidiendo un poco de helado para poder hacerle una malteada a su hermano mayor? Era un plan perfecto.

Debía apurarme, porque si estaba tronando allá afuera, eso significaba que muy pronto iba a comenzar a llover. ¡Y la lluvia siempre echa a perder los planes!

La casa que más cerca me quedaba era la del señor Antón Otín. ¡Ya estaba decidido! Su puerta sería la primera que iba a tocar.

"¡Ojalá que mi vecino no sea de verdad un vampiro!", me dije con cierto temor y salí corriendo hacia el jardín lleno de sombras.

CAPÍTULO 4

Era una noche muy oscura, tan oscura que no se veía ni una sola estrella en el cielo, tampoco la luna, lo que sumado a los lejanos truenos que seguían oyéndose hacía presagiar varias horas de lluvia. Por lo visto, una tempestad se acercaba rápidamente hacia nuestra calle.

Debía apurarme a conseguir el helado de chocolate con mis vecinos antes de que el agua me obligara a correr de regreso a mi casa.

Avancé hacia la residencia del señor Otín y me detuve frente a la reja del jardín. Reconozco que sentí un poquito de miedo de caminar hacia la puerta y tocar el timbre. ¿Por qué? No sabría explicarlo bien. Había algo en esa casa que no me gustaba. Tal vez era el hecho de que su pintura estaba toda descascarada y sucia, que no habían cortado el césped en años y me llegaba casi a las rodillas o que las cortinas siempre estaban corridas al otro lado de las ventanas, excepto cuando el señor Otín se dejaba ver por un breve instante en noches de luna llena y yo podía espiarlo desde mi recámara.

Nunca antes había hablado con él. ¿Cómo sería su voz?

Respiré hondo y empujé la reja metálica, que crujió como en las películas de miedo. En un par de pasos atravesé el jardín y llegué frente a la entrada principal. Iba a tocar el timbre, cuando me di cuenta de que la puerta estaba entreabierta. Tal vez el señor Otín había salido apurado y se había olvidado de cerrar. O quizás pensó que sí lo había hecho y no se dio cuenta de que había cometido un error por culpa de las prisas.

¿Qué debía hacer?

—¿Señor Antón Otín? —grité hacia el interior.

Ni un solo ruido de pasos. O de voces. Nada.

—¡La puerta estaba abierta! —volví a gritar.

De nuevo, nada. Todo siguió en total silencio.

—¡Voy a entrar! —anuncié.

Y empujé despacio la puerta, que también rechinó como un animal herido. Por lo visto, en esa casa todo era viejo, estaba oxidado y crujía a la menor provocación.

Frente a mí se abrió un largo corredor, tan oscuro como se adivinaba el resto de la casa. ¿Acaso mi vecino, además de tener la piel tan blanca como la leche, sufría de algún problema de la vista, y por eso mantenía todas las luces apagadas?

Avancé un poco más, con las manos extendidas por delante, para evitar darme algún inesperado golpe contra la pared. "Tendría que haber traído mi linterna de explorador", pensé, pero nada hacía presagiar que al señor Otín le gustara vivir en las tinieblas.

—No quiero molestarlo —dije en todas las direcciones, sin saber si me estaban escuchando—, pero sólo deseaba saber si tiene un poco de helado de chocolate.

De pronto, oí un ruido a mis espaldas. Fue un ligero crujido en la madera del suelo.

—¿Señor Antón? —exclamé con alivio de saber que mi vecino estaba ahí.

Pero nadie me respondió. Y escuché de nuevo otro crujido en las maderas del suelo, esta vez más lejos. Sentí que los latidos de mi corazón se volvían a acelerar. ¿Qué estaba sucediendo en esa casa? ¿Había alguien más en el pasillo? La idea de conseguir helado de chocolate para hacerle una malteada a mi hermano de pronto ya no me pareció tan buena, y lo único que quise fue salir corriendo de ahí.

Cuando retrocedí un par de pasos hacia la puerta, tropecé con algo en el suelo y me fui de espaldas. El golpe retumbó en todos los rincones de la casa del señor Antón Otín. Palpé con las manos y descubrí que el objeto que había causado mi caída parecía un grueso y pesado libro, que de inmediato levanté y protegí entre mis brazos.

Escuché con toda claridad un nuevo ruido, esta vez mucho más cerca de mí. Ya no tenía dudas: alguien estaba ahí, observándome desde la oscuridad.

Y fue en ese momento que sentí el roce de una mano en mi cuello.

CAPÍTULO 5

—¿Señor Otín? —murmuré cuando pude sacar la voz—. ¿Es usted?

No me atreví a moverme, porque aquella mano seguía rozándome la piel del cuello.

Entrecerré los ojos en la penumbra del pasillo, luchando por ver mejor. ¿Por qué me costaba tanto enfocar la vista? Entonces descubrí una pálida y larga figura junto a mí. Parecía muy delgada y se movía despacio, como si flotara sobre el suelo. ¿Era un fantasma? ¿Un fantasma me estaba tocando con su mano? No, no era eso. Me tomó unos segundos darme cuenta de que no estaba mirando a un ser humano: estaba junto a una cortina que se movía apenas impulsada por el viento de tormenta que entraba por la puerta abierta. La tela había acariciado suavemente mi piel.

¡No había nada de qué preocuparse!

—¡¿Quién anda ahí?! —escuché de pronto al fondo del corredor.

Era una voz que no parecía humana. Era la voz que un muerto tendría si se levantara de su tumba cien años después de haber fallecido, y te hablara furioso por haberte encontrado sentado muy tranquilo en su sepulcro.

Pude oír un par de pasos avanzar hacia mí. La persona que se acercaba no levantaba los pies, sino que los arrastraba sobre la madera del suelo.

Un escalofrío bajó por todo mi cuerpo.

Sin detenerme a pensar en lo que hacía, me levanté como pude y me eché a correr hacia la puerta. Ni cuenta me di cuando salí de la casa y llegué al jardín. Solo al escuchar que un trueno retumbaba sobre mi cabeza comprendí que ya estaba en el exterior, lejos del peligro y de aquella voz.

Me giré para ver la casa del señor Otín, pero todo estaba nublado... Pestañeé varias veces, tratando de enfocar mejor, pero el mundo a mi alrededor seguía totalmente borroso. ¡Mis anteojos! Me di cuenta en ese instante de que se me debían de haber caído adentro de la casa del vecino, cuando me tropecé y terminé en el suelo. En un segundo me dije que prefería perderlos antes de volver entrar a esa residencia tan extraña y misteriosa.

Entrecerré un poco más los ojos, pero no conseguí ver mejor... Todo frente a mí seguía como oculto por una espesa niebla.

Mi plan había fracasado.

CAPÍTULO 6

Ahora tenía dos graves problemas: mi papá se había comido todo el helado de chocolate y yo había perdido mis anteojos. Y, por si no fuera suficiente, en casa me esperaba Mauricio. Le había prometido una sorpresa y no tenía nada que ofrecerle.

¡No sabía qué hacer!

En ese momento, descubrí que aún tenía entre mis brazos el grueso libro que encontré en el pasillo del señor Antón Otín. Lo puse bajo la luz de uno de los faroles de la calle. Era un volumen grueso, de tapas de cuero rojizo. En ellas, ocho grandes letras doradas formaban un título: *Hechizos.*

¿Hechizos?

¿Habré leído bien? Sin mis anteojos me resultaba casi imposible fijar la vista en las letras de un libro, incluso las de su portada. Podía haberme equivocado.

Abrí y cerré varias veces los párpados y volví a leer el título de la cubierta: *Hechizos.* Sí, estaba en lo cierto. ¡El señor Otín tenía un libro de hechizos en su casa y yo me lo había llevado!

Y para complicarlo todo aún más, sentí cómo empezaban a caer algunas gotas de lluvia sobre mi cabeza. ¡Oh, no! Ahora mi mamá se enojaría conmigo porque, de seguro, me daría gripa por haberme mojado en la calle y me iba a tener que pasar el resto de la semana en cama y con un poco de fiebre.

—¡¡Max!! —Se escuchó la voz de Mauricio desde mi casa.

Ahí estaba el responsable de todos mis pesares: mi hermano. Había salido en busca de helado para una malteada e iba a regresar con un libro de hechizos. ¡Estaba perdido! No iba a poder evitar que me convirtiera en su esclavo el resto de la noche, que me obligara a hacer sus tareas o que me forzara a prepararle un sándwich de tres pisos o...

¡Un momento! ¿*Convertir*? ¿Dije *convertir*...?

Tal vez aún tuviera la posibilidad de vencer a mi hermano e impedir que me obligara a pasar el resto de la noche cumpliéndole sus caprichos. ¡Tenía en mis manos un libro de hechizos con el que podía transformar a Mauricio en lo que yo quisiera! Incluso en el mejor y más obediente hermano mayor del mundo... De seguro en alguna de las páginas del libro del señor Otín había un embrujo indicado para mí.

¡Sonaba demasiado perfecto para ser verdad!

—¡¡Max!! —Se oyó de nuevo la voz de Mauricio—. ¡Estoy esperando mi sorpresa, enano!

Sonreí pensando en la cara de impresión que se llevaría mi hermano cuando, en efecto, me apareciera en casa con una enorme sorpresa para él... Mi nuevo plan parecía casi perfecto.

Casi perfecto, sí. Porque en realidad con eso provoqué mi tercer problema, el más grande de todos. Y ya se imaginan lo que pasó, ¿cierto?

CAPÍTULO 7

Entré corriendo a casa, mojado por la lluvia que comenzaba a caer y con el pesado y grueso libro del señor Otín entre mis brazos. De pronto, sentí que algo se frotaba contra mi pierna. Fruncí los ojos para enfocar mejor y descubrí que se trataba de *Azúcar*, mi perra, que se había levantado de su cojín para venir a saludarme.

Le acaricié veloz la cabeza y seguí la marcha. No tenía tiempo que perder. Mi plan era avanzar lo más rápido posible rumbo a la escalera para encerrarme en mi recámara y ahí, a solas y con toda calma, poder encontrar un hechizo que convirtiera a Mauricio en el mejor hermano mayor del mundo, uno que obedeciera todas mis órdenes y que me dejara en paz el resto de la noche, hasta que papá y mamá regresaran de su cena de celebración.

¡Por suerte tenía unos anteojos de repuesto en mi mesita de noche!

Iba a poner un pie en el primer peldaño cuando Mauricio me cerró el paso, las manos en la cintura. A pesar de que no podía verlo bien, supe de inmediato que estaba molesto conmigo y que acababa de meterme en grandes problemas.

—¡¿Dónde está mi sorpresa, enano?! —exclamó.

"Vamos, Max —pensé—. Es hora de inventar alguna excusa que te salve el pellejo."

—¿Un libro? —preguntó furioso, señalando el grueso ejemplar que le extendí—. ¿La sorpresa que me prometiste es un simple y vulgar libro?

—Es un libro mágico… —puntualicé, a ver si así conseguía llamar su atención.

—¡Tú sabes muy bien que la magia no existe, enano! Ésos son cuentos de viejas chismosas —gritó molesto—. Malas noticias, Max… Por haberme mentido e ilusionado en vano, te acabas de convertir en mi esclavo. ¡A partir de ahora, me obedecerás en todo lo que te diga!

"Eso está por verse", pensé y sentí cómo la sangre me subía al rostro y pintaba de rojo toda mi piel. ¡No iba a permitir que Mauricio siguiera aprovechándose de su condición de hermano mayor y guardián!

—¡Vas a tener que atraparme! —lo enfrenté y me eché a correr hacia la sala.

Escuché a Mauricio, que iba pisándome los talones, y más atrás, a *Azúcar* que ladraba divertida porque pensaba que estábamos jugando con ella. ¡¿Por qué había abierto la bocota para enfrentar a mi hermano?! Lo había echado todo a perder. Ahora estaba furioso conmigo y ya no había nada que yo pudiera hacer para calmar su coraje.

¿O tal vez sí?

Entonces, me detuve en seco. Mi reacción fue tan inesperada y brusca que Mauricio no tuvo más remedio que frenar. Me miró lleno de desconcierto cuando abrí el libro en la primera página que encontré, alcé un dedo hacia el techo, y puse cara de que algo muy serio e importante estaba a punto de suceder.

—¿Qué onda, enano? —preguntó Mauricio sin terminar de entender mi actitud.

Bajé la vista hacia la página del libro. Descubrí que estaba escrita de punta a punta con una rarísima y negra caligrafía. Las letras parecían arañas de patas largas, cada una acomodada en distintas posiciones y todas formando palabras que nunca antes había visto. Fruncí un poco más los ojos, tratando de leer sin mis lentes.

—¡Caput lupus! —deletreé sin poder adivinar en qué idioma estaba hablando.

Un violento relámpago iluminó por un instante el jardín al otro lado de las ventanas, y un trueno tan poderoso hizo saltar hasta la alfombra bajo mis pies. Mauricio permaneció inmóvil y mudo frente a mí, sin entender qué estaba sucediendo.

La verdad, ni yo mismo sabía lo que hacía. De hecho, ni siquiera estaba seguro de haber leído correctamente lo que esta-

ba escrito en el libro, porque no conseguí enfocar bien esas letras llenas de curvas y grandes mayúsculas.

—¡*Rursus draconis*! ¡*Armis polypus*! —continué recitando las extrañas palabras que veía en la página y que salían de mi boca con tanta fuerza que no las podía detener.

Cada vez que las pronunciaba, un nuevo relámpago estallaba en el cielo y hacía aplaudir los vidrios de las ventanas. Incluso la luz de la sala se cortó por un segundo, lo que provocó que Mauricio abriera aún más los ojos y la boca, repitiendo ese mismo gesto que intentaba esconder cuando veía alguna película de terror y no quería demostrar su cobardía.

¡Mi hermano tenía miedo!

¡Mi hermano *me* tenía miedo!

—¡*Corporis ursus nix*! —grité a todo pulmón, sabiendo que por fin había logrado dominar a Mauricio y que al menos esa noche no iba a volver a molestarme. ¡Las palabras chistosas y sin sentido del libro del señor Otín se habían convertido en mi mejor arma para derrotarlo!

Estaba a punto de irme de la sala para encerrarme en mi recámara, pero inesperadamente mi hermano cayó de rodillas al suelo. Se cubrió la cara con ambas manos y dio un grito tan agudo y estremecedor que me puso todos los pelos de punta.

Y entonces, frente a mis incrédulos ojos pasó lo que pasó.

CAPÍTULO 8

Lo primero que tengo que confesar es que cometí un error. A juzgar por lo que ocurrió en plena sala de mi casa, las palabras del libro del señor Otín sí tenían un sentido, y uno muy terrible y dramático. Yo no sabía que pronunciar en voz alta *Caput lupus* o *Armis polypus* iba a provocar una pesadilla tan grande y que iba a cambiar la vida de mi hermano tan drásticamente.

¿Que qué fue lo que pasó? Veré si puedo contarles todo lo que vi, sin olvidar ningún detalle. Pero no vayan a pensar que me lo estoy inventando. Por más impresionante o inexplicable que parezca, las cosas sucedieron así... tal cual. Y sin que yo pudiera hacer algo para evitarlas.

Como les dije, Mauricio cayó de rodillas al suelo mientras gritaba a todo pulmón. Pero su grito no era para nada humano. No. Más bien parecía el aullido de un lobo furioso mezclado con el ruido de un volcán en erupción. Sonaba como un terremoto capaz de sacudir hasta la última piedra de la tierra. La casa vibró a causa del rugido. Por un segundo pensé que el techo iba a explotar junto con todos los vidrios de las ventanas. Tuve que taparme las orejas para poder soportarlo y *Azúcar* se metió gimiendo debajo de un sofá.

Otro relámpago estalló en el cielo y, por un segundo, me permitió ver a través del jardín la silueta de la casa del señor Antón Otín. ¡Él tenía la culpa de todo! ¡Él y su peligroso libro eran los responsables de que mi hermano estuviera retorciéndose de dolor sobre la alfombra que mi mamá había aspirado con tanto esmero esa misma mañana!

Miré a Mauricio mientras se sacudía en el suelo y movía brazos y piernas como si se ahogara en medio de una alberca. No sabía cómo ayudarlo. Tal vez pudiera ofrecerle un refresco para calmar su ansiedad. O prepararle ese sándwich de cinco pisos que quería. O convertirme en su esclavo e ir a comprarle un bote de helado a la tienda de la esquina, aunque afuera estuviera lloviendo y mis papás me prohibieran salir de la casa después de las nueve de la noche.

¡¿Qué podía hacer?!

De pronto, mi hermano abrió la boca aún más. Y siguió abriéndola cada vez más grande, hasta que su cabeza entera pareció ser una boca abierta, llena de dientes puntiagudos, desde donde se escurría una baba blancuzca y pegajosa, que caía en goterones sobre la alfombra. Sus orejas crecieron de manera desproporcionada, lo mismo que su nariz y su cuello. El pelo se le alborotó tanto que le cubrió la frente, las mejillas y hasta el mentón. En apenas un segundo, la cabeza de Mauricio quedó igual a la de *Tristán*, el perro pastor alemán de mi tía Eduviges, pero con el doble de tamaño.

Azúcar, siempre metida bajo el sofá, se puso a ladrar frenética, con una mezcla de susto y agresividad.

Casi al mismo tiempo, oí que la camisa de Mauricio se rasgaba y dejaba a la vista su espalda, donde tenía dos grandes manchas rojas. Las manchas se fueron hinchando hasta convertirse en un par de enormes granos, como los que le salían en la nariz después de comer mucho chocolate. Con horror, vi que algo se movía dentro de cada forúnculo. La piel, que ya no tenía un tono humano, sino que estaba toda enrojecida, se levantaba y se volvía a hundir, al mismo tiempo que un grueso pelo blanco le crecía en todo el cuerpo.

De pronto, los granos explotaron con el mismo ruido que mi papá hace cuando descorcha una botella de vino, y del interior de la espalda brotaron dos enormes alas, aún ensangrentadas y frágiles, que al sacudirse derribaron una lámpara y el valioso jarrón de porcelana china que mis padres habían recibido de regalo el día de su matrimonio.

¡Ay, la cara que iba a poner mi madre cuando viera roto su valioso regalo de bodas...! Y, claro, cuando se encontrara con mi hermano, cubierto de pelo y con alas de dragón, sentado muy cómodamente en el sofá de la sala.

Mauricio se levantó del suelo, enderezó su cuerpo y se sacudió hasta quitarse todos los jirones de ropa qua aún le colgaban de las extremidades. Movió su cabeza de perro de un lado a otro, batió con fuerza sus alas y dejó que el pelaje blanco que lo cubría desde el cuello hasta la punta de los pies brillara como nieve ante el resplandor de un nuevo relámpago.

Entonces se me acercó despacio...

Preparé mi boca para dar un grito de horror.

Extendió uno de sus brazos hacia delante. Pero no crean que se trataba de un brazo normal, con dedos, mano, codo, hombro y todo eso. No. El nuevo brazo de Mauricio más bien parecía una larga serpiente, resbalosa y amenazante, llena de ventosas que se abrían y cerraban con cada uno de sus movimientos.

Volvió a dar un paso hacia mí.

Estaba frente a un horrible ser que en nada se parecía a mi hermano mayor. Me miró con sus ojos negros hundidos en dos profundas cavidades. Pude ver sus venas rojas latiéndole en el cuello. Sus labios gruesos dejaban ver unas encías oscuras y llenas de dientes tan filosos que estaba seguro que podrían cortar el tronco de un árbol de un solo mordisco.

—Ay, mamita… —gemí asustado mientras el olor fétido de la criatura flotaba por todas las esquinas de la sala.

Traté de alejarme, pero él acercó su cara de animal salvaje a la mía. Cerca. Tan cerca que pude ver dos largos gusanos blancos que se retorcían entre los pelos de su nariz. Su aliento caliente y amargo me golpeó con fuerza, haciendo que mi estómago se revolviera de asco. Sus enormes dientes llenos de baba chocaron entre ellos cuando susurró, con una voz que ya no sonaba humana:

—Ahí te ves, enano…

Y lo que hasta hace poco era mi hermano rompió de un brinco la ventana y huyó veloz hacia la noche.

CAPÍTULO 9

Bueno, me imagino que ya entendieron por qué les dije que tenía tres problemas graves. Y que no eran solamente graves, sino que eran gravísimos y que no sabía cómo empezar a solucionarlos

Y también se habrán dado cuenta de que a esos tres problemas se les sumaron dos más: ¿adónde se fue mi hermano y cómo iba a explicarles a mis padres lo que acababa de suceder?

Por más que le daba vueltas en la cabeza, no encontraba la mejor manera de hacerlo. Todo sonaba tan fantasioso e irreal: "Mamá, papá, quise hacerle a Mauricio una malteada de chocolate, pero el helado se había acabado. Entonces fui a la casa del vecino a ver si él tenía un poco, pero me encontré un libro de hechizos que traje a casa y que usé para defenderme de mi hermano, que estaba molesto conmigo. Al leer en voz alta unas extrañas palabras escritas en la primera página, Mauricio se transformó en un terrible monstruo y se escapó quién sabe adónde".

Nadie iba a creer en mi justificación.

"Papá, mamá, ¡sorpresa! ¡A partir de esta noche hay un monstruo en la familia!"

No, tampoco. No existía explicación posible.

A través de la ventana rota de la sala se escuchaba el ruido de la tormenta. Y a través de esa rotura la lluvia entraba y empapaba la alfombra. La misma alfombra que, además de mojada, estaba también repleta de vidrios quebrados y de trozos del carísimo jarrón de porcelana, hecho añicos por las alas de mi hermano.

Parecía que una bomba hubiera explotado en el interior de mi casa.

Me froté los ojos y solté un suspiro. Por primera vez me alegré de haber perdido mis anteojos y de ser miope como un topo. ¡Era mejor no ver el caos que me rodeaba!

Escuché un pequeño gemido y vi que *Azúcar* había asomado su cabeza bajo el sofá. Desde ahí me miraba con una expresión de total desamparo. Junto a ella, en el suelo, estaba *Hechizos,* el libro del señor Otín, abierto en la misma página desde donde leí esas raras palabras que causaron todo el desastre. *Caput lupus… Rursus draconis… Armis polypus… Corporis ursus nix…* ¿Qué querrían decir? ¿Qué clase de poderes mágicos tenían? ¿En qué idioma estaban escritas? ¿Era el señor Antón Otín un brujo que se dedicaba a escribir libros de hechicería y no un pálido vampiro como yo pensaba?

Eran demasiadas las preguntas que se acumulaban en mi cabeza. ¡Y yo sólo tenía once años! Cualquier otro niño de once años estaría jugando arriba de un árbol, andando en bicicleta por la calle o pateando una pelota de futbol en el parque, ¡no intentando responder estas dudas tan difíciles!

Ding-dong.

Y ahora, además de todo, alguien llamaba al timbre de mi casa.

Mi primer impulso fue ir a ver de quién se trataba. Pero de inmediato recordé que mis padres me tenían absolutamente prohibido abrir la puerta en mitad de la noche. Mauricio era el encargado de hacerlo. Pero claro, mi hermano ahora se encontraba desaparecido, yo estaba solo y tenía que tomar pronto una decisión.

Ding-dong.

El sonido de un trueno se mezcló con el insistente zumbido del timbre. El misterioso visitante necesitaba que le abrieran la puerta con urgencia. "Bueno, los ladrones no tocan el timbre —pensé para tranquilizarme—. Ni tampoco los asesinos, ni los monstruos, ni los vampiros". Tal vez nada malo podía pasarme si iba a ver de quién se trataba. Además, *Azúcar* estaba conmigo, y aunque era tan pequeña que apenas me llegaba al tobillo, cuando ladraba podía sonar como el más feroz de los mastines y así ahuyentaba a cualquiera.

Pero una vez más me equivoqué. Como se habrán dado cuenta, no soy muy bueno tomando decisiones, porque siempre termino eligiendo lo que no debo elegir. Y esta vez no fue la excepción: cuando llegué frente a la puerta, la abrí de par en par de un solo movimiento. Con mucha impresión vi que el visitante resultó ser un hombre altísimo y delgado, de piel muy blanca y cabello negro cuidadosamente peinado hacia un costado. Un hombre que me miró intensamente y que levantó su brazo flaco hacia el cielo oscuro, desde donde seguía cayendo la lluvia.

Era un hombre que reconocí de inmediato: nada más y nada menos que el señor Antón Otín.

CAPÍTULO 10

—Buenas noches —susurró el señor Otín desde la puerta.

Su voz era casi inaudible, gastada, llena de silbidos y con mucho énfasis al pronunciar la *s*. Sólo podía pertenecerle a un vampiro muy, muy viejo, cansado de tener que enfrentar durante siglos a vecinos entrometidos que iban a meterse a su casa para sacarle libros sin su permiso.

Al dar un paso hacia el interior de la casa, vi que llevaba una capa negra muy parecida a la que siempre usaba Drácula en las películas.

—Imagino que esto es tuyo, ¿no es cierto? —preguntó.

Lo vi meter la mano debajo de la capa. Seguramente estaba por sacar un objeto maldito con el cual iba a atacarme. ¡Y yo no tenía nada para defenderme! Pero para mi sorpresa, sólo me extendió mis anteojos, que reposaban en una de sus huesudas manos.

Asentí, con mucha vergüenza de tener que reconocer la verdad, y me los puse con rapidez. ¡Qué maravilla volver a ver las cosas que me rodeaban con más claridad y nitidez! Entonces me di cuenta de que lo que me pareció una siniestra capa vampírica no era más que un simple impermeable mojado, que aún goteaba a causa de la lluvia.

—Yo sólo quería saber si podía darme un poco de helado de chocolate —confesé, mirando con pudor hacia el suelo.

—No me gusta el chocolate —replicó muy serio.

—¡Pero si a todo el mundo le gusta el chocolate! —exclamé.

—Yo no soy como todo el mundo —puntualizó.

"De seguro prefiere la sangre fresca, igual que todos los de su especie", pensé con espanto. ¿A qué había venido el señor Otín hasta mi casa a esas horas de la noche? ¿A enterrarme los colmillos en el cuello? ¿A denunciarme por haberme metido a su casa sin su permiso? ¿A acusarme con mi familia? ¿A arrastrarme con él de regreso a su morada, para dejarme encerrado en algún calabozo y convertirme en su almuerzo de mañana?

Azúcar se acercó con desconfianza a olisquearle los zapatos. Quizá mi perra ya se habría dado cuenta de que teníamos de visita a un chupasangre-muerto-en-vida, e iba a comenzar a ladrar para defenderme. Mi vecino se inclinó sobre ella y le rascó la cabeza. Tal vez ésa era su manera de adormecerla para, al primer descuido, comérsela como postre. Pero, para mi sorpresa, *Azúcar* le movió la cola de lado a lado y se paró en dos patas, pidiéndole al señor Otín que siguiera acariciándola.

—Qué perrita tan simpática —dijo sobándole la barriga—. ¿Cómo se llama?

Iba a responderle, pero, súbitamente, el señor Otín se enderezó y abrió enormes los ojos. Con uno de sus largos y esqueléticos dedos señaló hacia el suelo de la sala, justo en medio de la alfombra, que estaba cada vez más mojada a causa de la lluvia.

—¡Mi libro! —bufó como un trueno—. ¡Tú lo tenías!

—No fue mi intención llevármelo —respondí cada vez más nervioso—. Me... tropecé con él y... me asusté... Salí corriendo... ¡Pensaba ir a devolvérselo, se lo juro, pero con todo lo que ocurrió no tuve tiempo!

—¿Y se puede saber qué fue lo que ocurrió? —preguntó mirando con preocupación todo el desorden a su alrededor.

¿Qué hacer? ¿Acaso podía confiarle a mi vecino vampiro la verdad sobre lo sucedido con Mauricio? Tal vez si se enteraba de la verdad se compadecería de mí y me ayudaría a encontrar a mi hermano mayor, usando sus poderes de criatura de la noche y su desarrollado olfato de murciélago. Entonces, sin más alternativa, le fui contando paso a paso todo lo que viví las últimas horas. A medida que avanzaba en mi narración, el señor Antón Otín fue poniéndose cada vez más pálido, hasta que cayó sentado en el sofá de pura impresión.

—Necesito que me digas exactamente cuáles fueron las palabras que leíste en el libro, muchacho —solicitó con urgencia.

—*Caput lupus*...

—Ajá... —asintió.

—*Rursus draconis*...

—Ajá...

—*Armis polypus*...

—Ajá...

—Y *Corporis ursus nix*...

—¡Esto es mucho más grave de lo que pensé! —se lamentó y se puso de pie de un salto—. Hay que encontrar a tu hermano antes de que sea demasiado tarde.

Con el libro de hechizos en las manos, avanzó hacia la puerta de dos grandes zancadas y desde ahí se giró para mirarme, extrañado de que yo siguiera en el mismo lugar.

—¡Vamos! —insistió.

—¿Es usted un vampiro? —me atreví por fin a preguntarle.

—No.

—¿Y un brujo?

—Tampoco.

—¿Entonces por qué encontré ese libro de hechizos en su casa y usted tiene la piel tan blanca?

—Porque trabajo en una biblioteca y tengo una enfermedad que no me permite exponerme a los rayos del sol —respondió con toda calma—. ¿Alguna otra duda?

Sentí que las orejas se me ponían rojas de vergüenza por haber pensado que mi vecino no era humano. ¿Se dan cuenta de por qué les digo que siempre me equivoco cuando tomo una decisión?

—Ahora que todo quedó aclarado entre nosotros, lo importante es descubrir dónde está Mauricio —dijo—. Piensa, muchacho, piensa... ¿Adónde crees que haya ido?

—¡A conseguir helado de chocolate! —se me ocurrió decirle.

—Bueno, eso ya es un comienzo. Si tan solo pudiéramos seguir su rastro...

—Tal vez nosotros no, pero *Azúcar* sí. ¡Ella es mejor que un sabueso!

Eso último no era tan cierto. Pero si alguien podía tener un buen olfato en esa habitación, era mi perrita. Recogí del suelo un trozo de la ropa de Mauricio y se lo puse a *Azúcar* frente a su nariz húmeda.

—Necesito que nos ayudes a encontrarlo —pedí—. ¿Puedes hacerlo?

Mi mascota dio un enérgico y corto ladrido y corrió hacia la puerta. Antes de que el señor Otín y yo pudiéramos detenerla, se precipitó de un salto hacia el exterior.

Por lo visto, la cacería del monstruo había comenzado.

CAPÍTULO II

Azúcar trotaba dando saltitos en la acera, olfateando todo a su paso, sin importarle que la lluvia siguiera cayendo sobre ella ni que el señor Otín y yo hiciéramos un gran esfuerzo para seguirle el ritmo sin perderla de vista.

—Tenías toda la razón, Max —dijo mi vecino con la respiración agitada por la carrera mientras cambiaba de mano el grueso libro de hechizos que traía consigo—. ¡Tu perra es como un gran sabueso!

"Nunca me lo habría imaginado", pensé. Mi hermano se había convertido en un monstruo, y *Azúcar* tenía una nariz superdotada. ¡Por lo visto ésta era una noche llena de sorpresas!

—¿Puedo saber por qué había un libro de hechizos en su casa, si usted no es brujo ni vampiro? —pregunté.

—Una mujer lo donó a la biblioteca donde trabajo. Me contó que lo había encontrado dentro de una caja en un viejo sótano —explicó—. Sentí curiosidad al verlo y me lo llevé a casa, para leerlo con más atención. No alcancé a entender mucho, porque necesito un diccionario para entender.

—¿Y en qué idioma está escrito...?

—En latín. Cada una de las palabras que leíste tiene un significado muy particular que estoy recién aprendiendo.

Azúcar llegó a una esquina y se detuvo unos instantes para orientarse, lo que nos permitió al señor Otín y a mí hacer una pausa en nuestra marcha.

—Por ejemplo, *caput lupus* quiere decir algo así como *cabeza de lobo* —expresó.

—¿De lobo? ¡Yo pensé que a Mauricio le había aparecido una cabeza igualita a la del perro de mi tía Eduviges! —dije.

—Y *rursus draconis* se refiere a tener una *espalda de dragón*.

—¡Por eso le crecieron esas alas tan raras! —grité lleno de sorpresa—. ¿Y *armis polypus*…?

—Esa expresión significa *brazos de pulpo* —me aclaró—. Y *corporis ursus nix* puede traducirse como *tener un cuerpo de oso polar*.

—O sea que mi hermano es una mezcla de lobo, dragón, pulpo y oso polar… —concluí.

—Exacto. Una combinación muy poco común de animales de bosque, cielo, mar y nieve… ¡Impresionante!

Azúcar retomó el paso luego de su parada y continuó veloz calle abajo. El señor Otín y yo nos echamos de nuevo a correr tras ella. Fue en ese preciso momento cuando escuchamos:

—¡Socorro!

—¡Por allá! —señaló mi vecino.

El señor Otín, *Azúcar* y yo llegamos frente a una pequeña tienda de abarrotes desde donde salió un hombre con cara de haber visto un fantasma, y los ojos tan abiertos como dos lunas llenas en plena noche.

—¡Un monstruo! ¡Un horrible engendro acaba de entrar a comprar helado de chocolate! —gritó fuera de sí.

—¡Es Mauricio! ¡Lo encontramos! —celebré.

—¿Y dónde está el monstruo? —le preguntó mi vecino.

—¡Allá adentro! ¡Ayúdenme, por favor! ¡Se lo ruego!

Bueno, por lo visto había llegado la hora de enfrentarme cara a cara a mi hermano, o lo que quedara de él. ¿Cómo iba a terminar todo ese entuerto? Ni idea. Pero tenía que solucionar cuanto antes el grave problema que yo mismo había ocasionado.

Respiré hondo, apreté los puños y entré a la tienda temblando de pies a cabeza.

Lycanthropus-Octopus-Draconis

CAPÍTULO 12

El interior del local estaba vacío y silencioso. Por lo visto, los clientes huyeron espantados al ver entrar a mi hermano balanceando su desproporcionada cabeza de hombre lobo, un par de tentáculos de pulpo colgándole a cada lado de su cuerpo de oso polar y unas enormes alas de dragón que, de seguro, fueron derribando toda la mercadería a su paso. Claro, no los culpo. A nadie debía de gustarle hacer sus compras con un monstruo de esa especie caminando a su lado.

Azúcar avanzó hacia el centro del lugar y olfateó en todas las direcciones. El señor Otín se quedó cerca de la puerta, dispuesto a atajar a Mauricio, por si pretendía huir al verse acorralado.

Ni rastro de mi hermano. ¿Dónde estaba?

No había ni un solo ruido.

Nada.

Solo se podía escuchar caer la lluvia en el exterior.

Empecé a impacientarme. No tenía toda la noche para esperar a que Mauricio se decidiera a salir de su escondite. En cualquier momento mis padres regresarían de su cena y no quería ni imaginarme su impresión al entrar y ver la sala en ruinas, la ventana rota, el jarrón destrozado en el suelo y a sus dos hijos y su mascota desaparecidos. ¡Tenía que volver a casa cuanto antes!

—¡Mauricio! —dije a todo volumen—. Soy Max. No tienes que tener miedo. Sólo queremos ayudarte...

—Así es, muchacho —continuó mi vecino—. Yo sé cómo conseguir que recuperes tu aspecto normal. ¡Aquí está la solución!

Antón Otín levantó el pesado libro de hechizos por encima de su cabeza, en un intento por llamar aún más la atención de Mauricio. Pero nada. Todo siguió en el más absoluto silencio.

—¿Mauricio…? —insistí.

Se escuchó un ruido a mi derecha.

Y después a mi izquierda.

De pronto, todo quedó en penumbras porque las luces de la tienda se apagaron. Por un segundo pensé que había cerrado los ojos sin darme cuenta, pero a los pocos instantes pude ver las luces de emergencia y el resplandor del farol de la calle que entraba por la puerta del lugar.

—¡Mauricio, no tienes que tener miedo! ¡Soy yo, Max, tu hermano! —grité.

Un vientecillo helado rozó la parte trasera de mi cabeza. Era como si alguien estuviera soplando muy despacio.

—No te muevas, Max… —Escuché decir al señor Otín, aterrado.

Entonces entendí que, en efecto, alguien sí estaba soplando detrás de mí. Y por lo visto era Mauricio, porque el aroma de su aliento era tan espantoso como el que pude oler en mi casa. ¿Qué pretendía hacer? ¿Morderme con sus dientes afilados como cuchillos? ¿Atraparme con sus brazos de pulpo?

—No vayas a hacer ningún movimiento brusco… —reiteró el señor Otín.

Sentí el peso de su mano sobre uno de mis hombros, pero de inmediato recordé que mi hermano mayor ya no tenía manos. Entonces giré despacio la cabeza y pude ver, en la oscuridad del lugar, el resbaloso tentáculo lleno de ventosas que serpenteaba cerca de mi cuello. Iba dejando una pegajosa y fétida baba sobre mi ropa, que luego caía al suelo con un fuerte chasquido.

—Chocolate —decía cerca de mi oreja—… Quiero chocolate…

—Vamos a buscar un bote, Mauricio —le contesté—. Te lo comes todo y después dejas que el señor Otín te convierta de nuevo en humano, ¿sale?

—¡Chocolate! —gruñó el monstruo siempre a mis espaldas—. ¡Quiero chocolate!

Desobedeciendo el consejo de mi vecino,

me giré para mirar a la cara a mi hermano y ver si así conseguía tranquilizarlo. Quedé frente a su cabeza de lobo salvaje, a pocos centímetros de su enorme hocico lleno de colmillos. La penumbra lo hacía verse aún más feroz, porque lo único que brillaba eran sus ojos rojos como bolas de fuego.

—¡¡Chocolate!! —volvió a gritar, tan fuerte que su saliva me salpicó toda la cara y el pelo me quedó hacia atrás, como si hubiera sacado la cabeza desde el interior de un carro a toda velocidad.

Mauricio gruñó a todo volumen, sacudió los tentáculos de arriba abajo y, con un brinco de atleta olímpico, saltó por encima de mí y corrió hacia la puerta.

—¡Se escapa! —me alertó el señor Otín.

Azúcar se lanzó hacia el monstruo y lo mordió a la altura del tobillo. Pero Mauricio, sin siquiera detenerse, se quitó de encima a mi mascota sacudiendo con fuerza su pata de oso polar y siguió avanzando hacia la salida.

—¡*Auget corpis!* —gritó Antón Otín, con una mano en alto y el libro de hechizos en la otra. Y agregó nervioso—: Espero que funcione, porque apenas empecé a estudiar latín...

Mauricio frenó de golpe. Se estremeció de arriba abajo y después de derecha a izquierda. Finalmente echó la cabeza hacia atrás, como si se hubiera quedado dormido.

¡El embrujo de mi vecino había funcionado! Era cosa de segundos para que mi hermano recuperara su apariencia normal. ¡Por fin íbamos a poder irnos a casa y ordenar todo justo antes de que nuestros padres regresaran dc su ccna!

Sin embargo, las cosas no sucedieron así. En lugar de que su pelaje blanco desapareciera o de que sus tentáculos volvieran a convertirse en brazos, el cuerpo de Mauricio empezó a temblar. Sacudió con energía las alas. Todos escuchamos cómo sus huesos crujieron al estirarse y crecer un par de metros más. El monstruo aumentó tanto su tamaño que su cabeza de lobo chocó contra el techo de la tienda y dejó un hoyo en el cemento.

—¡Ups! —confesó el señor Otín—. Parece que me equivoqué con el latín. ¡Te dije que apenas estaba yendo a clases!

—¡¡CHO-CO-LA-TE!! —bramó el gi-

gante justo antes de derribar una de las paredes del lugar y salir corriendo, enorme como una montaña peluda, calle abajo.

Ahora sí que el entuerto ya no tenía solución.

—¡Éste es el fin! —se lamentó el señor Otín.

Me quedé en silencio unos instantes. ¿Tenía razón mi vecino? ¿Era realmente el fin?

Miré el gran agujero en el muro a través del cual se había escapado mi hermano...

¿Cómo solucionar las cosas de una vez por todas...? ¡¿Cómo?!

Y súbitamente tuve una idea.

CAPÍTULO 13

—¡Ya sé lo que vamos a hacer! —exclamé yendo hacia el señor Otín, que estaba de pie junto a la puerta de entrada de la tienda.

—¡Perdón, me equivoqué! —seguía lamentándose—. Quería solucionar las cosas y lo eché todo a perder. ¡Ahora tu hermano es un monstruo gigante, y todo es por mi culpa!

—No hay tiempo para lamentarse. Necesito que me ayude con el plan que acabo de inventar.

—Soy todo oídos, muchacho.

El señor Antón Otín escuchó con gran atención cuando le expliqué paso a paso la idea que tenía en mente. Al terminar, se quedó unos instantes en silencio mientras asentía con la cabeza.

—Vaya, vaya... ¡Qué inteligente eres, Max! Te felicito.

—¡Manos a la obra! —grité, sintiéndome el protagonista de una película.

De inmediato, mi vecino corrió hacia una de las estanterías de la tienda y de ahí tomó varias bolsas llenas de almendras bañadas en chocolate.

—¿Crees que sea suficiente con éstas? —me preguntó.

—Mientras más, mejor —respondí.

Salí apurado hacia la calle empapada por la lluvia. A lo lejos, aún se veía el cuerpo blanco y peludo de mi hermano mayor, que se alejaba dejando sus enormes huellas de oso polar en el cemento de la calle.

—¡Mauricio! —grité a todo pulmón.

El monstruo se detuvo unos instantes. Movió sus orejas de lobo, tratando de orientarse y descubrir quién lo llamaba.

—¡Mauricio, soy yo! —seguí gritando.

Mi hermano se giró hacia mí. A pesar de la distancia, su estatura de monstruo gigantesco provocaba el mismo miedo que daba tenerlo a unos pocos centímetros.

Con una de sus patas podía destruir una casa o aplastar un coche y dejarlo tan plano como una moneda.

—¡Aquí tengo la sorpresa que te prometí, ¿te acuerdas?! ¡Ven a buscarla!

Mauricio sacudió con desconcierto sus tentáculos de pulpo y derribó un par de árboles que arrancó de raíz. Abrió aún más sus ojos rojos llenos de interrogantes.

—¡Mira! ¿Quieres tu sorpresa? —dije, y sacudí en mi mano una de las bolsas llenas de almendras bañadas en chocolate.

Su enorme nariz de lobo olfateó el aire.

—¡Sí, es chocolate! ¡Todo para ti! —grité—. Y hay mucho más si vienes a buscarlo. ¡Ven! ¡Toma, es todo tuyo!

Cuando vi que se echó a andar hacia mí, haciendo vibrar la tierra con cada una de sus pisadas, le di la orden al señor Antón, que esperaba a unos metros de distancia.

—¡Ahora!

Entonces mi vecino se echó a correr en sentido contrario, dejando caer cada tanto una almendra cubierta de chocolate. Mientras más se alejaba, más largo era el camino de almendras que iba quedando tras él.

—¡Son todas tuyas! —le grité.

Mauricio aulló de felicidad ante la noticia que acababa de darle y apuró el paso. Gracias a sus tentáculos, fue recogiendo una por una las almendras desde la calle. Las engulló sin masticarlas siquiera, lo que abrió aún más su apetito de monstruo insaciable.

—¡¡CHO-CO-LA-TE!! —vociferó.

Hasta ahora, mi plan iba de maravilla. Por su parte, el señor Otín seguía marcándole el camino a mi hermano, guiándolo sin que se diera cuenta hacia nuestro destino final: la fábrica de caramelos. Si todo salía bien, debíamos lograr hacerlo entrar para cumplir con la etapa más difícil de mi idea. Y yo, por mi lado, corría a toda velocidad hacia la fábrica acompañado por *Azúcar,* que no paraba de ladrar de emoción. Al acercarme, pude sentir desde afuera el olor a caramelo, a chocolate de leche y a crema chantillí. ¡Una delicia!

—¡Entra! —me advirtió el señor Otín,

que seguía dejando almendras en el suelo para que Mauricio las recogiera y se las comiera—. ¡Tu hermano y yo vamos a llegar muy pronto!

Mi pálido vecino no exageraba: quedaban apenas unos segundos para que yo pudiera dejar todo listo al interior. No había tiempo que perder. Teníamos sólo una oportunidad para solucionar las cosas. Si el plan fallaba... sería nuestro fin.

Tragué hondo para intentar calmar el latido descontrolado de mi corazón. Entonces agarré con fuerza la manija de la puerta de la fábrica de caramelos, y comencé a abrirla...

CAPÍTULO 14

"No, Max. Piensa bien lo que estás haciendo", me aconsejé en vano mientras terminaba de empujar la puerta de la fábrica de caramelos donde trabajaba mi papá. "No lo hagas, puede ser peligroso", insistí.

Pero ya era demasiado tarde para arrepentirse. Un par de pasos más atrás venía el señor Antón Otín, guiando a Mauricio gracias al señuelo de almendras bañadas en chocolate, y ahora era mi turno de ejecutar el plan que yo mismo había ideado. ¡Un plan que no podía fallar!

Entré corriendo a la enorme construcción, seguido de cerca por *Azúcar*, y me detuve unos instantes a contemplar el espacio que se abría frente a mí. Con razón mi papá quería traernos a conocerla con tanta urgencia: era absolutamente espectacular. La fábrica tenía techos altísimos, llenos de tuberías transparentes por donde corrían verdaderos ríos de chocolate de todos los colores. También vi un sinfín de barriles de vidrio repletos de golosinas que formaban un verdadero arcoíris. En otro sector había una máquina que preparaba sin cesar algodón de azúcar, que luego un brazo mecánico terminaba por empaquetar. Al centro, descubrí una alberca de almíbar que inundaba el lugar con su aroma dulzón y tibio.

¡Era un verdadero paraíso!

Azúcar comenzó a dar saltitos de felicidad, mientras sacudía la cola como un ventilador y dejaba caer su lengua por un costado de su boca. Iba a correr directo hacia unos canastos llenos de bolitas de mazapán, pero la detuve en seco.

—¡No vinimos aquí a comer! —le dije—. ¡Manos a la obra!

En ese momento escuché un fuerte gruñido a mis espaldas y supe que Mauricio,

convertido en un monstruo gigante y malas pulgas, debía estar entrando al lugar.
¡Me quedaban pocos segundos para com-
pletar mi parte del plan!

"Acaban de inaugurar una enorme
manguera por la que sale chocolate como
si fuera una ducha", recordé las palabras
que mi padre nos había dicho justo antes
de irse con mamá a su cena de celebración.
Rogué por que fuera cierto. ¡A partir de
ahora, todo dependía de que mi papá no
hubiera cometido un error!

De un rápido vistazo recorrí con la mirada la fábrica en busca de aquella manguera. "Busca, Max, busca. ¡No te tardes!",
me ordené con urgencia. "Mira hacia arriba, mira hacia abajo, no dejes ni un rincón
sin revisar". De pronto la vi: parecía una
manguera de bomberos, pero más gruesa y
nueva, y estaba conectada a un enorme re-
cipiente metálico donde se leía en grandes
letras negras: CHOCOLATE LÍQUIDO.

¡Mi padre tenía razón! ¡Y qué suerte tenía yo de que él fuera el nuevo jefe de ese
lugar!

Corrí hacia la manguera y traté de levantarla del suelo, pero era tan pesada que no lo conseguí. Hice un segundo intento, esta vez reteniendo la respiración para inflar aún más los músculos, pero apenas pude alzarla unos centímetros hasta que se me terminó por resbalar de las manos. En ese instante, el lugar retumbó desde el techo hasta el suelo. ¡El monstruo gigante había terminado de entrar a la fábrica!

—¡Max, enciende la manguera! —gritó el señor Otín, que ya estaba ahí, cada vez más pálido y nervioso.

Volví a hacer el esfuerzo de levantarla, pero no tuve éxito. ¡¿A quién se le había ocurrido hacer una manguera tan gorda que un niño de once años no pudiera moverla?!

El monstruo avanzó hacia mí, los ojos cada vez más rojos. Su pisada estremeció la fábrica y provocó olitas en la alberca llena de almíbar. ¿Qué pretendía hacerme? ¿Aplastarme de una patada? ¿Azotarme con su tentáculo repleto de ventosas?

Tenía que apurarme o todo iba a fracasar.

¡Mi vida estaba en peligro!

—¡Necesito que lo entretengas para que yo pueda recitar el hechizo! —dijo el señor Antón Otín, sosteniendo el libro entre sus manos.

Desesperado porque no conseguía levantar la manguera, descubrí una pequeña palanca a un costado del estanque metálico lleno de chocolate líquido. Se parecía mucho a la llave con la que se abría el grifo del agua en el baño de nuestra casa. Con una idea en mente, estiré el brazo hacia ella...

—¡Mauricio, mira...! ¡¡Aquí tienes tu sorpresa!! —exclamé a todo volumen.

El monstruo aulló de manera aún más aguda, sacudiendo alas y tentáculos al mismo tiempo. Su saliva saltó en todas las direcciones, manchando los muros y goteando desde el techo. Yo aproveché ese segundo de distracción y giré la llave con un rápido movimiento. Casi al instante se escuchó un ruido de burbujas al interior del tanque metálico... Un gorgoteo que se fue haciendo cada vez más fuerte... La manguera comenzó a temblar, primero despacio, de manera muy suave, hasta que terminó por sacudirse como una serpiente con un ataque de risa. Fue entonces que un poderoso chorro de chocolate derretido salió con fuerza por la boca de la manguera y bañó a mi hermano de pies a cabeza.

—¡¡¡CHO-CO-LA-TE!!! —celebró con su voz de animal.

Con su pelaje de oso polar goteando chocolate por todas partes, dio un par de saltitos de felicidad mientras gemía de satisfacción al ver que la manguera continuaba lanzándole su dulce cargamento. No era exactamente la ducha que mis papás querían que Mauricio se diera, pero al menos habíamos conseguido aplacar su furia.

—¡Ahora! —le dije al señor Otín—. ¡Éste es el momento!

Contento de ver que el monstruo seguía entretenido, relamiéndose en su baño de pies a cabeza, mi vecino abrió a toda velocidad el libro de hechizos y buscó una página en particular. Juntó las cejas en un nudo sobre su nariz y, con un gesto de profunda seriedad, respiró muy hondo antes de ponerse a leer en voz alta:

—¡*Reversus maximus corporis!* —exclamó. Hizo una pausa para volver a tomar aire y continuó—: ¡*Redit ut homini!*

Y yo, desde mi lugar, no pude evitar que una sonrisa de triunfo se dibujara en mi cara.

CAPÍTULO 15

Lo que vino después, lo recuerdo como si fuera parte de una película en cámara rápida. Apenas el señor Otín terminó de decir *¡Redit ut homini!*, el enorme monstruo en el que se había convertido mi hermano empezó a achicarse a toda velocidad. Acto seguido, el pelaje blanco de oso polar fue reemplazado por una nueva capa de piel, también pegajosa por el baño de chocolate. En cosa de segundos, la cabeza de hombre lobo se encogió, las orejas recuperaron su forma normal y el enorme hocico repleto de peligrosos dientes desapareció hasta quedar convertido en una boca inofensiva. Las alas de dragón se sacudieron, cada vez más débiles, hasta que terminaron por disolverse frente a mis propios ojos. Y los tentáculos de pulpo, también cubiertos de chocolate líquido que Mauricio seguía lamiendo fascinado se acortaron hasta transformarse en dos brazos con codos, muñecas, manos y diez dedos en total.

¡Mauricio era humano de nuevo!

Gracias a la ayuda del señor Antón Otín y al improvisado plan que organicé, había logrado solucionar el pequeño error que cometí. Por fin podíamos volver a casa, a seguir con nuestra vida.

Azúcar corrió hacia mi hermano, que estaba de pie en medio de un enorme charco de chocolate, y comenzó a lengüetearle el tobillo para dejarle saber lo contenta que estaba de volver a verlo. Mauricio parpadeó con desconcierto y se giró hacia mí mientras se rascaba su pegajosa coronilla.

—¿Qué hago aquí, enano? —preguntó aturdido.

Lo siguiente que recuerdo es que regresamos a toda velocidad a casa. Una vez ahí, y mientras Mauricio se bañaba para quitarse todo el chocolate del cuerpo y del cabello, el señor Otín y yo ordenamos la sala y secamos el suelo con papel periódico. Al cabo de unos minutos, todo quedó como antes, a excepción de la ventana rota y del valioso jarrón hecho pedazos que había terminado en el fondo del bote de la basura en la cocina.

Justo en ese momento, se oyó el ruido de la puerta al abrirse.

—¡Ya estamos aquí! —anunció mi mamá desde el umbral.

Al entrar, mis padres me sorprendieron acomodando lleno de urgencia los últimos adornos. Primero reaccionaron con cierto desconcierto al ver ahí a nuestro pálido y delgado vecino, pero al instante mi mamá reparó en el espacio vacío donde hasta hace poco había estado su jarrón, y se llevó espantada las manos a las mejillas.

—¡¿Qué le pasó a mi regalo de bodas?! —exclamó alzando la voz.

—¡Lo siento mucho! —dije dando un paso hacia ella—. Fue mi culpa...

—¡No! Fue *mi* culpa —escuchamos todos.

Al girar la cabeza, vimos que Mauricio venía entrando a la sala, con el pelo aún empapado por el agua de la ducha y una expresión de sincero arrepentimiento en el rostro.

—Yo rompí el jarrón —continuó mi hermano—. Y también el vidrio de la ventana...

Papá descorrió las cortinas y dejó a la vista el enorme hueco en el cristal. Endureció la mirada. Comenzaba a molestarse.

—¿Qué pasó aquí? —preguntó muy serio—. ¿Y por qué está aquí el señor Otín?

Yo iba a confesarlo todo, con lujo de detalles, cuando Mauricio tomó la palabra. Les explicó que quiso jugarme una mala broma para asustarme y hacerme pasar un mal rato, pero terminó por derribar sin querer el florero. Y que al tratar de evitar que cayera al suelo, se tropezó y golpeó la ventana, que también se rompió de arriba abajo. A causa del ruido, el señor Otín tocó el timbre para saber si todo estaba en orden o necesitábamos algún tipo de ayuda.

¿Así era como mi hermano recordaba que habían sucedido las cosas, o simplemente estaba cambiando la historia para echarse la culpa y evitarme el castigo por haberlo hechizado? Quién sabe. El punto era que, por primera vez en toda mi vida, Mauricio hacía algo para protegerme y no dejarme en vergüenza frente a los demás.

—Vaya, Mau, me gusta que seas honesto —aprobó mamá con satisfacción—. Y veo que también te diste el regadcrazo que tanta falta te hacía.

Mi hermano sonrió y asintió.

—Te felicito por haber hecho lo que te pedimos —dijo ella—. Y con respecto al jarrón... bueno. ¡Fue un accidente! Lo importante es que fuiste sincero con tus padres.

—Y que los dos están sanos y salvos. ¿Supieron que la tormenta derribó algunos árboles en la calle frente a la fábrica y causó un enorme hueco en la pared de una tienda? —agregó papá—. Por suerte no hubo heridos, y eso también hay que celebrarlo. ¡Miren lo que compré!

Y de una bolsa sacó un enorme bote de helado de chocolate.

—¡Voy por las cucharas! —gritó Mauricio con entusiasmo.

Hasta el señor Otín celebró con nosotros. Por lo visto, después de que un niño de once años soluciona un gran problema, le dan muchas ganas de festejar y relajarse. Al menos eso fue lo que me pasó a mí esa noche, porque la emoción me duró tanto tiempo que fui el último en irme a dormir después de comerme junto a mi hermano casi todo el helado y de despedir a mi vecino.

Lo que no alcancé a ver, por estar ocupado celebrando, fue que *Azúcar* encontró el libro de hechizos que el señor Antón Otín había dejado medio oculto en un rincón de la sala. Con una de sus patas lo abrió y comenzó a lamer la primera página. Al cabo de unos instantes, sus orejas de chihuahua habían crecido tanto que comenzaban a parecerse a las de un murciélago, y su pelaje de perro se llenó de escamas plateadas, iguales a las del pescado que mamá compraba una vez a la semana en el supermercado. Y cuando quiso ladrar para llamar nuestra atención, lo que antes sonaba *guau guau* ahora se escuchó como *oinc oinc*.

Se imaginan en qué terminó todo, ¿verdad? ¡Ahora tendré que descubrir cómo solucionar este nuevo problema antes de que mis padres se den cuenta!